かわいそうな ぞう

つちや ゆきお ぶん　　たけべ もといちろう ぇ

うえのの　どうぶつえんは，さくらの　はなざかり
です。
　かぜに　ぱっと　ちる　はな。おひさまに　ひかり
かがやいて　さく　はな。おはなみの　ひとたちが
どっと　おしよせて，どうぶつえんは，すなほこりを
まきあげて　こみあって　いました。

ぞうの　おりの　まえの　ひろばでは，いま，二とうの　ぞうが，げいとうの　まっさいちゅうです。

　ながい　はなを，てんに　むけて，ひのまるの　はたを　ふったり，カラランランと　すずを　ふりならしたり，よたよたと，まるたわたりを　したり　して，おおぜいの　けんぶつにんを，わあわあと　よろこばせて　います。

その　にぎやかな　ひろばから，すこし　はなれた
ところに，一つの　いしの　おはかが　あります。あ
まり　きのつく　ひとは　ありませんが，どうぶつえ
んで　しんだ　どうぶつたちを，おまつりして　ある
おはかです。おてんきの　よい　ひは，いつも，あた
たかそうに，おひさまの　ひかりを　あびています。
　ある　ひ。どうぶつえんの　ひとが，その　いしの
おはかを　しみじみと　なでまわして，わたくしに，
かなしい　ぞうの　ものがたりを　きかせて　くれま
した。

いま，どうぶつえんには，三とうの　ぞうが　います。なまえを，インデラ，ジャンボー，メナムと　いいます。けれども，その　まえにも，やはり　三とうの　ぞうが　いました。なまえを，ジョン，トンキー，ワンリーと　いいました。

　そのころ，にっぽんは，アメリカと　せんそうを　していました。せんそうが　だんだん　はげしくなって，とうきょうの　まちには，まいにち　まいばん，ばくだんが　あめのように　ふりおとされて　きました。

　その　ばくだんが，もしも，どうぶつえんに　おちたら，どうなる　ことでしょう。

　おりが　こわされて，おそろしい　どうぶつたちが　まちへ　あばれだしたら，たいへんなことに　なります。そこで，ライオンも，トラも，ヒョウも，クマも　ダイジャも，どくを　のませて　ころしたのです。

　三とうのぞうも，いよいよ　ころされることに　なりました。

まず　だい一に，いつも　あばれんぼうで，いうことを　きかない，ジョンから　はじめることに　なりました。

　ジョンは，じゃがいもが　だいすきでした。ですから，どくぐすりを　いれた　じゃがいもを，ふつうのじゃがいもに　まぜて，たべさせました。けれども，りこうなジョンは，どくの　じゃがいもを　くちまで　もっていくのですが，すぐに，ながいはなで，ポンポンと，とおくへ　なげかえして　しまうのです。

しかたなく，どくぐすりを　からだへ　ちゅうしゃ
することに　なりました。

　うまに　つかう，とても　おおきな　ちゅうしゃの
どうぐと，ふとい　ちゅうしゃの　はりが　したく
されました。

　ところが，ぞうの　からだは，たいへん　かわが
あつくて，ふとい　はりは，どれも　ぽきぽきと　お
れて　しまうのでした。しかたなく　たべものを　一
つも　やらずに　いますと，かわいそうに，十七にち
めに　しにました。

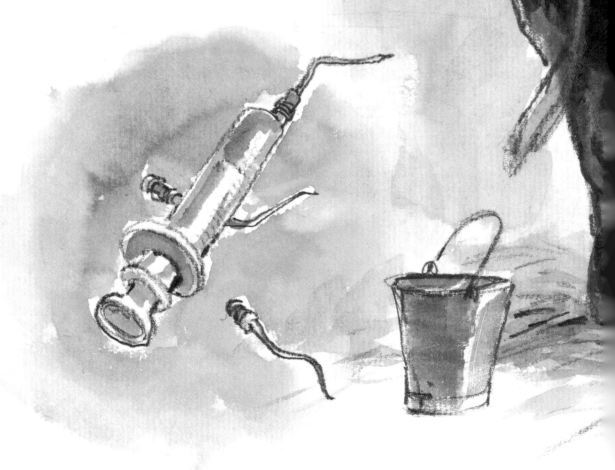

つづいて，トンキーと，ワンリーの　ばんです。この　二とうのぞうは，いつも，かわいい　めを　じっと　みはった，こころの　やさしい　ぞうでした。

　ですから，どうぶつえんの　ひとたちは，この二とうを，なんとかして　たすけたいと　かんがえて，とおい　せんだいの　どうぶつえんへ，おくることに　きめました。

　けれども，せんだいの　まちに，ばくだんが　おとされたら　どうなる　ことでしょう。せんだいの　まちへ，ぞうが　あばれでたら，とうきょうの　ひとたちが　いくら　ごめんなさいと　あやまっても，もう　だめです。そこで，やはり，うえのの　どうぶつえんで　ころすことに　なりました。

　まいにち，えさをやらない　ひが　つづきました。トンキーも，ワンリーも，だんだん　やせほそって，げんきが　なくなって　いきました。ときどき，みまわりに　いく　ひとを　みると，よたよたと　たちあがって，

「えさを　ください。」

「たべものを　ください。」

　と，ほそい　こえをだして，せがむのでした。

16

そのうちに，げっそりと　やせこけた　かおに，あ
の　かわいいめが，ゴムまりのように　ぐっと　とび
だしてきました。みみばかりが　ものすごく　おおき
く　みえる　かなしい
すがたに　かわり
ました。

いままで，どのぞうも，じぶんの　こどものように　かわいがっ
てきた　ぞうがかりの　ひとは，「ああ，かわいそうに。かわいそ
うに。」と，おりのまえを　いったり　きたりして，うろうろ　する
ばかりでした。
　すると，トンキーと，ワンリーは，ひょろひょろと
からだを　おこして，ぞうがかりの　まえに　すすみ
でたのでした。
　おたがいに　ぐったりとした　からだを，せなかで
もたれあって，げいとうを　はじめたのです。

うしろあしで　たちあがりました。

まえあしを　おりまげました。

はなを　たかく　あげて，ばんざいを　しました。

しなびきった　からだじゅうの　ちからを　ふりしぼって，げいとうを　みせるのでした。

げいとうを　すれば，むかしのように，えさが　もらえると　おもったのです。

トンキーも，ワンリーも，よろけながら　いっしょうけんめいです。

ぞうがかりの　ひとは，もう　がまん　できません。
「ああ，ワンリーや，トンキーや。」
　と，えさのある　こやへ　とびこみました。そこか
ら　はしりでて，みずを　はこびました。えさを　か
かえて，ぞうの　あしもとへ　ぶちまけました。
「さあ，たべろ，たべろ。のんで　くれ，のんで　お
くれ。」
　と，ぞうの　あしに　だきすがりました。
　どうぶつえんの　ひとたちは，みんな　これをみて
みないふりを　していました。
　えんちょうさんも，くちびるを　かみしめて，じっ
と　つくえの　うえばかり　みつめて　いました。
　ぞうに　えさを　やっては　いけないのです。みず
を　のませては　ならないのです。どうしても，この
二とうのぞうを　ころさなければ　ならないのです。
　けれども，こうして，一にちでも　ながく　いかし
て　おけば，せんそうも　おわって，たすかるのでは
ないかと，どのひとも　こころのなかで，かみさまに
おねがいをしていました。

けれども, トンキーも, ワンリーも, ついに うご
けなく なって しまいました。じっと からだを
よこに したまま, どうぶつえんの そらに ながれ
る くもを みつめて いるのが やっとでした。
　こう なると, ぞうがかりの ひとも, もう むね
が はりさけるほど つらくなって, ぞうを みにい
く げんきが ありません。ほかのひとも くるしく
なって, ぞうのおりから とおく はなれていました。

ついに，ワンリーは　十いくにちめに，トンキーは
二十いくにちめに，どちらも，てつのおりに　もたれ
ながら，やせこけた　はなを　たかくのばして，ばん
ざいの　げいとうを　したまま　しんでしまいました。

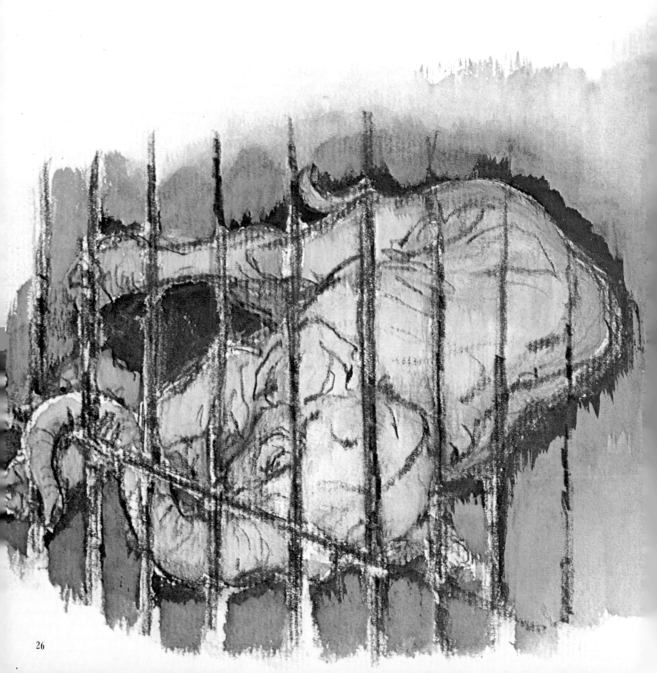

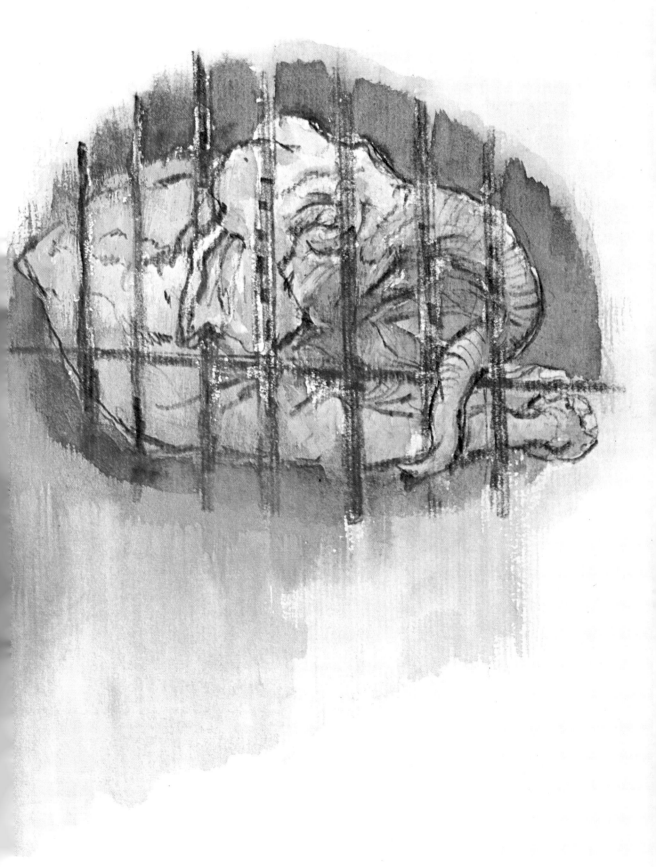

「ぞうが　しんだあ。ぞうが　しんだあ」

　ぞうがかりの　ひとが，さけびながら，じむしょに
とびこんで　きました。げんこつで　つくえを　たた
いて，なきふしました。

　どうぶつえんの　ひとたちは，ぞうの　おりに　か
けあつまって，みんな　どっと　おりのなかへ　ころ
がりこみました。ぞうの　からだに　とりすがりまし
た。ぞうの　からだを　ゆすぶりました。

みんな、おいおいと　こえをあげて　なきだしました。その　あたまのうえを、またも　ばくだんを　つんだ　てきの　ひこうきが、ごうごうと　とうきょうの　そらに　せめよせてきました。

　どの　ひとも、ぞうに　だきついたまま、こぶしを　ふりあげて　さけびました。

「せんそうを　やめろ。」

「せんそうを　やめてくれえ。やめてくれえ。」

あとで　しらべますと，たらいぐらいも　ある　お
おきな　ぞうの　いぶくろには，ひとしずくの　みず
さえも　はいって　いなかったのです。その　三（さん）とう
のぞうも，いまは，この　おはかのしたに，しずかに
ねむっているのです。

　どうぶつえんの　ひとは，めを　うるませて，わた
くしに　この　はなしを　してくれました。そして，
ふぶきのように，さくらの　はなびらが　ちりかかっ
てくる　いしの　おはかを，いつまでも　なでていま
した。

かわいそうな　ぞう　　土家由岐雄／文　　武部本一郎／絵

初版発行／1970年8月©
第135刷発行／2002年5月

発行所／株式会社金の星社　　〒111-0056 東京都台東区小島1-4-3 電話／東京03−3861−1861（代）Fax／東京03−3861−1507
印刷／熊谷印刷株式会社　製版／㈲サンプロセス社　製本／㈱大村製本　　　　　　　　　振替／00100-0-64678
©Y.TSUCHIYA & M. TAKEBE 1970, Printed in JAPAN.　　　　　　　　　　　　ホームページ　http://www.kinnohoshi.co.jp/

ISBN4−323−00211−4　■32ページ　26.5cm──乱丁落丁本は，ご面倒ですが小社営業部宛御送付下さい。送料小社負担でお取替えいたします。

●この作品は，1951年に創作されたものです。動物たちのお墓と象舎は改築され，現在その場所が変わっておりま
す。なお，旧版では，ジョンが死んだのは13日目となっていますが，その後の資料で17日目ということが分りまし
た。ここに謹んで訂正させて頂きます。また上野動物園では，現在動物たちに芸当をさせておりません。（土家由岐雄）